Fax and ......

Rody Gorman

FAX AND OTHER POEMS

Polygon
EDINBURGH

© 1996 Rody Gorman

Published by Polygon
22 George Square
Edinburgh

Set in Monotype Sabon by Combined Arts

Printed and bound in Great Britain by
Short Run Press, Exeter

ISBN 0 7486 6216 2

A CIP record is available for this title.

The Publisher acknowledges subsidy from
THE GAELIC BOOKS COUNCIL
towards publication of this volume.

ACKNOWLEDGEMENTS

Some poems in this collection first appeared in the
following publications; thanks to them all.

An Cànan
An tUltach
Cencrastus
Chapman
Cyphers
Gairfish
Gairm
Lines Review
Northwords
Poetry Ireland Review
The Celtic Pen
The Rialto
Seam

CONTENTS

CONTENTS

7

FAX

Tha am fax anns an oisean
Na thrèan-ri-trèan anns a' chluain

No na mhuc a' gnòsail
Ann an guth ìosal

'S tha am printer taobh ris na eas
Agus duilleagan bàn' a' sruthadh às

'S tha seallaidhean gan sgrìobhadh
A chaidh a dhraghadh

A grunnd a' Chuain Siar
Air sgàilean mo chomputer

'S iad uile cur an cruth fhèin gu seòlta
Air saoghal an latha.

RI TAOBH LINNE SHLEITE

Choisich mi anns an uisge
Ri taobh Linne Shlèite
Nuair a dh'fhalbh thu ris an oidhche

'S dh'fhidir mi uisge-stiùireach
'S gun lorg air an t-soitheach
A dh'fhag a-muigh ann an shin e,

Sin agus a' ghealach
A' tuiteam an cridhe na beinne,
Fann agus sgàinte.

FAX

The fax in the corner
Is like a corncrake in the meadow

Or a pig grunting
In a low voice

And the printer beside it is a waterfall
With white pages gushing out of it

And scenes are being depicted
That were trawled

From the bed of the Atlantic
On the screen of my computer

And they all put their own form neatly
On today's world.

BESIDE THE SOUND OF SLEAT

I walked in the rain
Beside the Sound of Sleat
After you had left during the night

And I noticed a wake
But not a trace
Of the vessel that had left it out there,

That and the moon
Falling in the heart of the mountain,
Faint and rent.

SNAMH

Chaidh mi a shnàmh a-nochd
Dhen a' chiad turas airson bhliadhnaichean
Rùisgte, nochd

'S mi mar gum b' eadh
Gad choinneachadh
A-rithist dhen a' chiad turas
An iomadach bliadhna,
Taobh ris a' chladach lom,
Nochd, rùisgte

'S a' feuchainn
Ri farsaingeachd na mara
'S an raig' air mo chasan
'S plosgartaich na mo chom

Ach aon uair 's gun do shuath an sàl mu mo chridhe
'S ann a thionndaidh mi air m' ais
'S rinn mi air an tràigh thioraim,
Nam laogh-ròin
Gun eòlas is gun chron,
Ach an cuirinn air ais umam
Mo bhian 's mo chòmhdach fhèin.

SWIMMING

I went for a swim tonight
For the first time in years
Bare, naked

As though I was
Meeting you
Again for the first time
In years,
Beside the bare shore,
Bare, naked

Taking on the whole
Expanse of the sea
As my legs stiffened
And I began to palpitate

But as soon as the sea-water stroked
My heart
I turned back
And made for dry land
Like a seal-calf
Gguileless and harmless
To put back on my own skin and covering.

AN SNEACHDA MUN A' CHUILTHIONN

Tha fuachd mu do chridhe
Mar an sneachda mun a' Chuilthionn
Ach gu bheil e air tòiseachadh
Air leaghadh is leaghadh
A-nis agus deireadh a' Ghiblein ann
Agus tha dòchas agam
Gum fàs na clachan
A tha na bhun
'S a tha tuiteam beag is beag
Far aodann sgaoilte nan creag
Nam beum
A bhuaileas air feadh na beinne.

BROGAN-MONAIDH

Tha mo bhrògan-monaidh
Ri tuiteam às a chèile.

Tha 'n t-seice dhen deach an dèanamh
Air a sùghadh 's a sùghadh dhan talamh
'S air a gabhail ann an dìoghaltas
Na feur ann leis a' chrodh,
'S aig siubhal nam bliadhnaichean
'S na rinn iad de shaltairt rin linn
Tha mo chasan càthte gu sàil

THE SNOW IN THE CUILINN

Your heart is cold
Like the snow in the Cuilinn
Except that it's started
Bit by bit to melt
Now that the end of April's here
And I hope that the rocks at the base
Which are falling bit by bit
From the loosened rock-face
Become an explosion of stone
Resounding through the mountain.

HILLWALKING BOOTS

My hillwalking boots
Are falling apart at the seams.

The hide
From which they were made
Has been sucked
Back into the ground
And taken in revenge
As grass by the cattle
And my feet have become worn away to the soles
With the rambling and trampling of the years

'S tha e tighinn thugam
'S mi siubhal air an uachdar lom
Gur h-e obair-rubber 's fuaigheil
A rinn mac an duine
'S motha tha gan sgrios.

SCRABBLE

Chaochail caraid dhe m' athair
'S e cluich Scrabble còmhla ris a-raoir

Agus am bòrd shìos fodha gu bhith làn
Agus càch air dèanamh air na plaidichean

Agus aon bheàrn
Air fhàgail shìos air a' bhòrd
Agus dìreach aige na bha dhìth
Airson a lìonadh

Agus an uair sin
Gun bhìog aige 's gun dùrd.

DORAS-CUARTACHAIDH

Choisich i mach orm
A-mach air an doras-chuartachaidh
Ach 's eudar gun deach rud air choreigin ceàrr
Air an uidheam,
Oir, a dh' aithghearr
'S ann a thill i gam ionnsaigh.

And it occurs to me
As I walk the bare land out there
That more than anything
It's the rubber-work and stitching
Man-made
That has made them the way they are.

SCRABBLE

A friend of my father's
Died playing Scrabble with him last night

Just as the board in front of him was nearly full
After everyone else had hit the sack

And with just one gap
Left down on the board
And he had precisely what was needed
To fill it

And then
Not a squeak out of him, not a whisper.

REVOLVING DOOR

She walked out on me,
Out through the revolving door
But something or other must have gone wrong
With the mechanism
Because, shortly afterwards,
She came back to me.

DA LEANNAN

Tha an dà leannan agam
Air uairean nan dà eala loinneil
A' snàmh air Loch an Tuim

'S air uairean eile
Nan eich-thuarasdail
Gam shracadh às a chèile.

ANNAS MOR

Chuala mi annas-naidheachd
Na mo leabaidh an-diugh sa mhadainn
Gun deach cur às do ploblachd
Ann an dùthaich air choreigin

'S chùm mi orm nam thàmh
A' bruadar agus mo shuim
Annad fhèin 's tu a' snàmh
Rùisgte 'n Loch an Tuim.

TWO LOVES

My two loves
Are sometimes two beautiful swans
Swimming in Loch an Tuim

And other times
Two workhorses
Tearing me apart.

FLASH

I heard a newsflash
In bed this morning
That a republic had been overthrown
In some foreign country or other
And I stayed there stretched out
Dreaming and thinking of you
Swimming naked in Loch an Tuim.

TOBAR A' PHIOBAIRE, TALAISGEIR

Tha Tobar a' Phìobaire
Air a bhith baldh is traoighte
O chionn fhada.

'S e tha dhìth oirre
Ach osagan mara
No tsunami, no beum ulbhagan
A-nuas bho àirde nam beann
A spreigeas ceòl innte 's beatha

Air neo tabhartas bho Chomhairle nan Ealain.

NA GLINN

Thug na Gaidheil am facal gleann
Dha na Goill dhan chànan

'S cha robh leisg idir orra
A chur gu feum taghta

Glenfarclas, Glenfiddich, Glengoyne,
Glen Grant, Glenmorangie,

Glenturret
'S mar sin air urret.

PIPER'S WELL, TALISKER

Piper's Well
Has been dumb and dried up
For a long time.

What it needs
Is a gentle sea breeze
Or a tsunami or a boulder-dash
Down from the heights of the mountains
To inspire music in it and a bit of life

Or else a grant from the Arts Council.

THE GLENS

The Gaels have the word glen
To the Lowlanders for their language

And they showed no hesitation
In making good use of it:

Glenfarclas, Glenfiddich, Glengoyne,
Glen Grant, Glenmorangie,

Glen Moriston
And so on.

GLEANN SIOL A'CHOIN

Ged a tha sinn
Air dà thaobh dhen a' chruinne
Tha fhathast lagan uaigneach
Far am faod sinn coinneachadh
Am sam bith ri chèile
Shìos mu Ghleann Silicon.

A' TADHAL AIR MO SHEANMHAIR

Bhithinn a' tadhal air mo sheanmhair
Ach an togainn a cuid cainnte
Ach bho dh'fhàs i bodhar
Cha d'fhuair mi ach na criomagan
Air a liuthad 's gun robh aice
'S cha bu mhotha thogadh i fhèin
Ach mun t-seachdamh cuid is dòcha
Dhe na thàinig às mo bheul-sa.

SILICON GLEN

Although we're on
Two different sides of the world
There's still a remote hollow
Where we can meet each other
Down by Silicon Glen.

VISITING MY GRANDMOTHER

I used to visit my granny
So I could pick up her speech
But since she went deaf
All I ever got was crumbs
For all tht she had
And neither did she pick up
More than maybe one seventh
Of what came out of my mouth.

AIR BAS CHARLES BUKOWSKI

Chuala mi
Gun do chaochail Charles Bukowski

Nuair a bhruidhinn mi ris a' phost
Air a chuairt

A lìbhrigeadh nan litrichean
'S nam pàipearan an-diugh sa mhadainn

'S bhuail e orm an uair sin
Gun robh Bukowski fhèin na phost ri linn

'S gur h-e e fhèin a bha freagarrach
Seach am post air a bheil mi eòlach

A bhith romham an-diugh sa mhadainn
A' lìbhrigeadh nan litrichean

'S e a' cantail: Madainn mhath – 's mise am post ùr
'S chaochail mi an-dè

Ach mairidh mo chliù na mhìr
-Naidheachd mun a' chruinne-chè.

MO CHUID AODAICH

Bidh mi crochadh mo chuid aodaich
Ri thiormachadh am fianais chàich
A dh' aindeoin na their na nàbaidhean
Feasgar na Sàbaid aig baile,
Rud a tha ann an dòigh ionann
Ri mo ghaol ort a chur an ìre.

ON THE DEATH OF CHARLES BUKOWSKI

I heard
That Charles Bukowski had died

When I was speaking to the postie
On his round

Delivering the letters
And newspapers this morning

And it occurred to me then
That Bukowski himself used to be a postman in his day

And that it would have been more appropriate
Rather than the postie I know

For him to be standing there before me this morning
Delivering the letters

Saying: Good morning – I'm the new postman
And I died yesterday

But my fame shall last
Like a story throughout the universe.

MY CLOTHES

I hang my clothes out to dry
For everyone to see
In spite of what the neighbours say
On the Sabbath at home,
Which in a way is like
Expressing my love for you.

BOLADH

Chan e am boltradh coimheach
A dh'fhàg tè air choreigin
As a dèidh san t-seòmar-eiridinn
A bheir air ais thu air mo chuimhne

Ach am boladh
A th' air lagan m' achlaise
Mar am boladh a chuireadh tu fhèin
Far t' achlaise mum aodann.

FEITHEAMH AIR A' PHOST

Bha mi feitheamh gun fhaighinn bhuat
Air a' phost

'S nochd e an-diugh
Ri moch na maidne

Mu chola-deug air dheireadh
Ann an còmhdach sràcte

'S e air a bhith fosgailte
('S eudar) le fear eile.

WHIFF

It wasn't the foreign perfume
That some woman or other
Left behind her in the waiting-room
That brought you back into my mind

But the whiff
From my own armpit
Like the whiff you used to emit
From your armpit round my face.

WAITING FOR THE POST

I had been waiting to hear from you
In the post

And it arrived today
Early in the morning

About a fortnight late
In a torn envelope

Which had been opened
(I guess) by some other man.

MEALBHAG

Tha cuimhne agam nuair a bha mi òg
Air na bh' agam de thogail
Ris an aon mhealbhaig
A bha seo, san robh mo shùil
'S i shuas air sgeilp os mo chionn
Air a gleidheadh ann an crogan
'S a bha mi air a ghoid nan smaoinichinn
Gum faighinn às leis
Ach a chaidh fhàgail às dèidh sin
Gun fhosgladh fad mìos

'S gum faighnichinn dhe mo mhàthair
– Am faod sinn a h-ithe 'n-diugh a mhamaidh?
– Gu dearbh 's sibh fhèin nach fhaod!

Agus mu dheireadh
Aon oidhche
Thog mo mhàthair far na sgeilp' e
Is sinn a' gabhail air ar suipear
'S dh'fhosgail i e (an crogan)
Air beulaibh ar sùilean
'S a' mhealbhag na bhroinn cho grod ri grod.

MELON

I remember when I was young
How much I was looking forward
To this one melon
Which I coveted
On a shelf above me
Preserved in a jar
And which I would have stolen if I thought
That I'd got away with it
But which for all that
Was left unopened for a month

And how I used to ask my mother
– Can we eat it today mammy ?
– You certainly can not !

And eventually
One night
My mother took it down from the shelf
After we had eaten our supper
And she opened it (the jar)
In front of our eyes
And there was the melon inside it as rotten as could be.

NAIDHEACHD

Tha mise bhos an Albainn
Agus thusa 'n Eirinn thall
Is sinn le chèile
A' coimhead air na h-aon naidheachdan
Mar a tha iad air an aithris
Air telebhisean gach duin' againn.

Bu mhath leam leum a-staigh air an sgàilean
Is stad a chur air am fear-leughaidh
'S a chantail – Feumaidh sinn briseadh
Gus a chur an cèill
Gun d'fhuair sinn fios
Gu bheil gaol aig a leithid seo de dhuine
Air an tè tha seo thall an Eirinn
Agus, nam freagradh i, gum biodh i fada na comain.

MISE NAM GHAIDHEAL

Tha mi nam Ghaidheal a th' air a bhith
An eisimeil na feamainn
'S a' bhuntàta
'S an sgadan
Ri mo linn
'S dh'fhalbh a h-uile h-aon dhiubh
'S a-nis tha thu 'g ullachadh do bhaga
Gu siubhal bhuam sa mhadainn.

NEWS

I'm over here in Scotland
And you're over there in Ireland
And we're both watching
The same news
As it's read out
On our respective televisions.

I'd like to jump into the screen
And stop the newscaster
And say – We interrupt this broadcast
To make an important announcement
That we have been advised
That such and such a person
Loves this woman over in Ireland
And that if she would respond he would be greatly obliged.

ME AS A GAEL

I am a Gael
Who has depended in his time
On seaweed
And on potato
And on herring
And every one of them has gone
And now here's you packing your bags
And going away in the morning.

NAM CHOIGREACH

Faodaidh tu thuigsinn sa bhad
Cò às tha na coigrich a' tighinn
A bhois a' nochdadh sa cheàrnag seo
Bho na pàipearan-naidheachd
A bhios iad a' leughadh sna cùiltean:

Northern Cyprus Monthly;
Le Figaro;
People's Korea; Fakty.

'S ghabh mi an dearbh rud mar dheuchainn
Orm fhìn ann aon latha
A leigeadh fhaicinn
Cò às a bha mi fhìn
'S cha robh smùid agam bho Dhia
Càit' on t-saoghal an tòisichinn.

IOMHAIGHEAN

'S e an obair a chuir mi romham an-dràsda
Iomhaighean a thoirt còmhla

De shaoghal an là an-diugh
'S den àm a dh'fhalbh

Mar ìomhaigh
De Kim Bassinger

'S i na Sìle nan Cìoch
Am meadhan *Mayfair*.

ME AS A FOREIGNER

You can tell straight away
Where the foreigners belong to
Who appear in this square
From the newspapers
They read in the nooks and crannies:

Northern Cyprus Monthly;
Le Figaro;
People's Korea; Fakty.

And I decided to do the same thing there one day
As a test
Which would let it be known
Where I was from
And I hadn't the foggiest
Where on earth to begin.

IMAGES

The task I have set myself just now
Is to bring images together

Of the world today
And of yesterday

Like one of Kim Bassinger
As a Sheila-na-Gig

In the centre pages of *Mayfair*.

LAITHEAN-SAORA

Tha cuimhne agam air làithean-saora
As t-samhradh bhon an sgoil
'S mi dèanamh air an ath bhaile
A' rothaireachd san uisge
A dhòirteadh na dhìle-bhàite
Làithean às dèidh a chèile

Ach bu choma
Oir bha mise dol dhan àit'-obrach
Bu chudthromaich' a bh' air an t-saoghal
'S mi a' reic reòiteagan
A thigeadh iad a cheannach
A Pratovécchio 's Poggibonsi fhèin.

HOLIDAYS

I remember during school holidays
Cycling to the next village
In the downpour
Day after day
But it didn't matter

For I was going to work
In the most important place in the world
Selling ice cream
Which they used to come to buy
Even from Pratovécchio and Poggibonsi.

UBHAL

Aon dhe na làthean
Agus caraid agam bhon sgoil
Air chuairt againn gu biadh
'S beul gu math àilgheasach air,
Dh'innis a mhàthair dha mo mhàthair
Dè chòrdadh 's nach do chòrdadh ris
'S cha ghabhadh esan a h-uile càil
A ghabhadh sinn fhìn gun taghadh
'S fhuair esan ubhal 's cha d'fhuair sinne ann.

'S às dèidh an rud
'S ann a ghabh sinn farmad
'S tha mi fhìn
Air a bhith lorg a' bhlais
A bh' air an ubhal ud riamh on uair sin.

FEASGAR DIDOMHNAICH

Dh'fhalbh thu feasgar Didòmhnaich
Agus na bàtaichean air chruaidh

Agus na dòbhrain air a dhol air ais
Dhan ionad a th' aca mun a' chaolas

Agus mi siubhal a' chalaidh leis an acras
Agus na taighean-òsda dùinte,

San uisge,
San dorchadas.

AIPPLE

Ae day langsyne
Thur wis this wee scuil pal o mine
Wis roon at ma hoose fur his tea –
A pauchty wee bugger he wis tae –
An his maw hed telt ma maw
Aa the things he likit an aaa the things he didnae,
An he widnae tak ony
O the things we hed tae tak,
But he got an aipple an we didnae.

An war we chawed at thon !
An ever sen syne
A've been trackin doon the taste
O thon aipple

translated by J. Derrick McClure

SUNDAY AFTERNOON

You left on Sunday afternoon
When the boats were at anchor

And the otters had all gone back
To their holt by the narrows

As I walked by the harbour starving
And the hotels all shut,

In the rain,
In the dark.

SNUGADAIR AN T-SEANCHAIDH

Sheas an seanchaidh suas
(Dòmhnall Iain a ghabhas sinn air, can)
Air beulaibh clas a h-aon
'S thòisich e air a sheanchas
'S thòisich a' chlann
A' tuiteam nan cadal-suain

'S gu h-obann
Chuip e mach mach às a phòcaid
Snugadair
'S rinn e filleadh ann trì tursan
'S dh'èirich a' chlann air bhioran
'S iad a' feitheamh 's a' feitheamh
Feuch dè bheireadh e nuas às an adhar
'S tharraing e suas e gu aodann
Shuas ann an sin air am beulaibh
Na bhrèid draoidheachd:

PARP! PTUI!
PARP! PTUI!

A' SIUBHAL AN RATHAID

Bidh mi siubhal an rathaid
Sa chàr san uisge mhìn
Agus thusa togail ceann nam inntinn,
Cleas nan suathairean-sgàilein
'S iad a' togail ceann
'S a' togail ceann, gun stad.

THE STORYTELLER'S SNOTRAG

The storyteller
(Donald John let's call him for argument's sake)
Stood up in front of primary one
And began to tell his story
As the children
Started to fall fast asleep

And then suddenly
Out of his pocket
He whipped a handkerchief
And he folded it three times
And the children got all excited
As they waited and waited
To see what he would manufacture out of the sky
And he drew it up to his face
Up there in front of them
Like a magic cloth

PARP! PTUI!
PARP! PTUI!

TRAVELLING THE ROAD

I travel the road
In the car in the fine rain
And you appear on my mind
Like the windscreen wipers
Popping up,
Popping up, relentlessly.

BOINNEAGAN-UISGE

Chunnaic mi boinneagan uisge
A' sileadh far bac-mòine
'S mi a' siubhal, bog bàite,
Tro bhrùidealachd na gaoithe
'S thug e gu mo chuimhne
Mi fhìn nam leanabh-cìche
'S mo mhàthair 's i na muime
Gam leigeil far a sine
Is às dèidh sin an dìle.

EILEAN BEAG

Tha EILEAN BEAG air chruaidh
Shois bhuarn ann an Loch Dhùghaill

A chaidh an sgiob' aige bhàthadh
O chionn fhad' an t-saoghail

'S a th' air a bhith ann an shin a' feitheamh ri port
Gus an tig an seòladh ceart

Na eilean beag an cunnart nan clachan
Ann an Loch Dhùghaill leis fhèin.

WATER DROPLETS

I saw water droplets
Dripping off a peatbank
As I walked, soaked to the skin,
Through the brutal wind
And they reminded me
Of when I was a nursling
And my mother, as a midwife,
Letting me down from her nipple
And after that the deluge.

WEE ISLE

Wee Isle is anchored
Down below me in Loch Dougal

Whose crew were all drowned
Ages and ages ago

And which has been waiting there, storm-bound
Until the right direction comes

A wee isle dangerously close to the rocks
In Loch Dougal all by itself.

TREAN-RI-TREAN

Nochdaidh an trèan-ri-trèan sa Cheitean
Mun chluain air cùlaibh an taigh' againn

As dèidh a thurais os cionn blàran a' chinne-dhaonna
Am Mozambique 's an Zambia

Ach dh' aindeoin a thurais cha tèid e air chall
No air iomrall

Ach cumaidh e air dìreach gus an ruig e chluain fhein
Mu Ghearraidh no shuas mun Trumpan

Far an dèan e nead mar luchaig-fheòir
San arbhar no san t-seileasdair

'S nì a cheilearachdadh garg
Sna h-oidhcheannan lan solais, anns a' Ghàidhlig

(Chan uilear beagan Gàidhlig aig trèan-ri-trèan
Ma bhois e 'g iarraidh bruidhinn ri Tormod againn)

Gus an nochd na h-innealan-fogharaidh san arbhar
(Far nach b' àbhaist uair ach an corran-mor)

A bhuaineas agus a sgathas gu cruinn
Air feadh an fhearainn

Gus am bi am fearann air fad air iadhadh
Far an d'rinn e neadachadh

'S nach fhaicear ach fuil is cleitean
An trèan-ri-trèan a' dol nan criomagan

'S nach cluinnear ach ràc beag deireannach às
An cainnt bho àm glùin a chaidh bàs.

CORNCRAKE

The corncrake will appear in May
Round about the meadow at the back of our house

After his journey over the battlefields of mankind
In Mozambique and Zambia

But for all his travails he won't get lost
Or go astray

But he'll keep going until he reaches his own meadow
Near Geary or up around Trumpan

Where he'll nest like a fieldmouse
In the corn or the iris

And he'll make his raucous birdsong
In the nights full of light, in the Gaelic

(A corncrake would need a word or two of the Gaelic
If he was to speak to our Norrie)

Until the combines appear in the corn
(Where once you'd only see a scythe)

Which will reap and lop clinically all around it
On all the land round about

Until all the land is surrounded
Where he nested

And all you can see is the blood and feathers
Of the corncrake in little pieces

And all you can hear is a final croak out of him
In the speech of a dead generation.

COILL' ALLT NA BEISTE

An mearan a thàinig orm a-raoir
'S mi nam chadal-suain
(Agus struacan bog cuideachd às do chuinnlean)
Shaoil leam gun robh an seòmar
An impis tuiteam am broinn a chèile.

Rinn mi nam dheann air Coill' Allt na Bèiste
Ach am buaininn rud air choreigin ann gus ar dìon
Ach 's ann a thuit mi leis a' bhruthaich
'S chaidh mo shlugadh sìos dhan t-sruth
'S bha anmoch na maidn' ann
Mus d'fhuair mi air m'ais air an rian
'S mus robh mi air ais a-staigh

'S fhuair mi an seòmar romham slan
'S gun lorg ann ort fhèin.

AIR SUIDHEACHAN

Bha sinn sìnte nar dithis air suidheachan
Ann an ceàrnag a' bhaile feasgar

'S mheòraich mi air na làithean
Nan sìneadh thall air thoiseach

Agus sinne le chèile air falbh
Ach fhathast còmhla air ar socair

Nar dà ainm air an gràbhaladh
Air a chùl am fianais an t-sluaigh.

OTTERBURN WOOD

In a nightmare that came over me last night
When I was fast asleep
(And as you snored gently)
I imagined that the room
Was about to cave in.

I legged it to Otterburn Wood
To get hold of something or other to project us
But I fell down the woodside
And I was sucked into the stream
And it was late in the morning
Before I was back on the rails
And before I was back home

And there was the room intact before me
And not a sign of you.

ON A BENCH

We were stretched out on a bench
In the village square one afternoon

And I was thinking about the days
Stretched out before us

When we would both be gone
But still together, at our ease

As two names inscribed
On its back for all to see.

RI TAOBH A' CHUAIN A TUATH

Chòisich mi ri taobh an rathaid
Ri taobh a' Chuain a Tuath

Leam fhìn san dorchadas
Agus thus' air do chur air dhearmad

Agus an làn air traoghadh
Agus ceò mun a' chuan

'S e cur às do lèirsinn
Na sheargadh-aigne

'S gu h-obann sgap e
'S nochd thu fhèin mum aire

Agus leus
A crann-ol' air fàire.

RI CLADACH AN LOCHA

Dh'fhalbh i orm an ceartuair
'S ar leam
Gun do dh'fhairich mi i a' gàireachdainn
Air mo chùlaibh,

Cleas nan lachan
A dh'fhairich mi bhuam mu thom
Thall ri cladach an locha

'S an ciaradh a' dlùthachadh
'S na sealgairean air falbh às an làthair
As dèidh dhaibh gun amas orra.

BESIDE THE NORTH SEA

I walked beside the road
Beside the North Sea

On my own in the dark
Having forgotten you

And the tide having receded
And a haar about the sea

Imparing vision
Like senility

And suddenly it dispersed
And you appeared on my mind

And a light
From an oilrig on the horizon.

BY THE LOCH SIDE

She left me just now
And I thought
That I could feel her laugh
Behind my back

Like the wild ducks
I noticed a wee bit away from me by a hill
Over by the shore of the loch

As the dusk gathered
And the hunters had all left the spot
Without ever having bagged them.

OIDHCH' FHEILL EATHAIN

Cumamaid
Oidhch' Fhèill Eathain
Le tein'-èiginn
No teine-chnàmhan fhèin

Agus na làithean nan anail romhainn
A' trèigsinn 's a' dol an giorrad.

DEICH BLIADHNA

Tha mi fhìn is mo bhean
A' comharrachadh
Deich bliadhna de phòsadh

'S tha a' chlann
San lobhta-làir fodhainn nan laighe
'S gun de dh' fhualm air feadh an taighe
Ach an dithis againn a' gabhail air ar biadh.

– Tha seo math fhèin –
Arsa mise – 'S e goulash a th' ann, nach e ?

ST JOHN'S EVE

Let's celebrate
St John's Eve
With a needfire/bonefire
As the days appear before us
Like breath fading and shortening.

TEN YEARS

Myself and the wife
Are celebrating
Our tenth wedding anniversary

And the kids
Are all asleep on the groundfloor below us
And there isn't a noise about the house
But the two of us eating.

– This is really good –
I said – It's goulash, isn't it ?

AIR MO RATHAD DHACHAIGH

'S mi dlùthachadh ri Inbhir Ionaid
Chunnaic mi sanas-rathaid

A' feitheamh ri cuideigin
A chuireadh dhachaigh e, gu Loch Carann.

Dhearc mi anns an sgàthan
'S chunnaic mi mi fhìn an

Sa charbad a bh' air mo chùlaibh
'S thàinig e rim thaobh

Agus an uair sin
Ghabh mi seachad orm fhìn.

AN TAIGH SAN ROBH SINN

Bidh mi smaoineachadh air an t-saoghal a bh' againn còmhla,
Mar a bh' againn fad iomadh bliadhna
'S an uair sin èiridh mo smaoin
Air an taigh san robh sinn fad ùineachan
A chaidh mi seachad air an ceartuair
'S e air a leagail chun an làir
'S gun a choltas air idir
Gun d'rachadh a thogail às ùr.

ON MY WAY HOME

As I approached Inverinate
I saw a road sign

Waiting for somebody
To give him a lift home to Lochcarron.

I glanced in the mirror
And saw myself in it

In the car behind me
And it drew up alongside me

And then
I overtook myself.

THE HOUSE WHERE WE USED TO STAY

I think about the life we used to have together,
How things were for years and years
And then I think about
The house where we used to stay for ages
Which I passed just now
Razed to the ground
And with no sign of it
Ever being rebuilt.

SEALGAIR-SHLEAGHAN

Bho theich thu orm thar a' chuain
Tha mi mar gum b'eadh
Air a bhith nam sealgair-shleaghan
A rachadh air tòir na muice-mòire
'S e na thàmh
A' coiseachd leis fhèin mun a' chidhe.

ANNS AN T-SEOMAR-LEUGHAIDH

Thachair sinn
Anns an t-seòmar-leughaidh,
Ait' a b' iomchaidh
Agus toirmeasg air labhairt ann

A chionn 's gun robh sinn an dàrna cuid
Gun dad againn a chanamaid
Air neo làn faireachdainn
Air nach ruig briathran.

HARPOON HUNTER

Since you left me to cross the ocean
I have become so to speak
A harpoon hunter
Who used to go hunting the whale
Idle
Walking by himself about the quay.

IN THE READING-ROOM

We met
In the reading-room,
Quite appropriate really
As talking is not permitted there

Seeing as we were either
Left with nothing to say
Or else full of feelings
For which words are inadequate.

ATHAIR

Uair is uair cluinnidh mi feadalaich m' athar
(A chaochail an ceithir fichead 's a ceithir)
'S e ri ùpaireachd mun cuairt san t-seòmar siar.

Bheir mi leum a-null chun an t-solais
'S leum eile 'n uair sin chun an dorais
Ach teichidh m' athair orm eadar an dà leum san dorchadas

No, a-rithist, agus mi dìreach an impis breith
Air làimh air, èiridh gun fhiosd a' ghaoth
'S sguabar chun a' bhlàir e 's mùchar a ghuth

Gus nach bi romham ach an sgeith a dh'fhàg na cait, is an cac.
A h-uile là a chì 's nach fhaic,
Fhalbhain a tha an tòir fhathast air mac a mhic!

BALACH LEIS FHEIN

A h-uile mac madainn
Bidh mi a' dol seachad
Air a' bhalach a tha seo leis fhèin
A' feitheamh a' bhus aig ceann an rathaid

A bheir dhan an sgoil e
An aon rathad 's a bheir e gu mo chuimhne
Làithean m' òige
A' feitheamh a' bhus anns an uisge

Agus, ceart gu leòr,
Nuair a nì mi cnuasachd air,
Chan eil cuimhne agam riamh air fhaicinn
'S e ri gàireachdainn anns a' ghrèin.

OLD BOY

Time and time again I hear my father's whistling
(Who died in 'eighty-four)
As he blunders about in the back room.

I make a leap for the light
And then another leap for the door
But my father flees between the two leaps in the dark

Or else just as I'm about
To take hold of him by the hand, the wind rises up suddenly
And he's swept away and his voice stifled

And all I'm left with is the cats' puke and shit.
All the best,
Wanderer still looking for his son's son!

A WEE BOY ALL ALONE

Every single morning
I go past
This wee boy all on his own
Waiting for the bus at the road-end

Which brings him to school
In the same way as it brings to mind
The days of my youth
Waiting for the bus in the rain

And, right enough,
When I think about it
I don't ever recall seeing him
Laughing in the sun.

CARBAD-GAINMHICH

Bidh mi falbh mun cuairt
Nam charbad-gainmhich
An Dùbhlachd a' gheamhraidh
'S na solais agam a' priobadaich gun sgur
'S mi gam sgapadh fhèin mud uachdar
Gun fhios nach tèid do leaghadh
'S mi gun mhothachadh
Air a' chunnart
A bhios ann daonnan
Gun tèid mi far an rian.

C V

Agus e air a chur romhainn againn
An suidheachadh seo chur às ar dèidh
Tòisichidh mi air an CV agam mar chunntas air mo bheatha:

'S mise thusa.
Rugadh mi an là a thachair sinn.
'S tusa mo chuid uidheamachaidh
'S mo chur-seachadan.
'S tusa thar chàich
A bheir dearbhadh
No teisteanas mu mo dheidhinn.

GRITTER

I travel about
Like a gritter
In the month of December
With my lights flashing ceaselessly
Spreading myself on the surface
Just in case you should melt
Unaware
Of the danger
That is always there
That I might go off the track.

C V

Now that we've decided
To put this situation behind us
I'll begin the CV by way of account of my life:

I am you.
I was born the day I met you.
You are my qualifications
And my pastimes.
You more than anybody
Can testify for me.

DA BHAILE

Tha sinn an caigeann a chèile
Nar dà bhaile
A chaidh n thoirt còmhla
As an dà thaobh dhen Roinn-Eòrpa
Gus cairdeas a chumail
Air cho caol 's gu bheil an ceangal.

DAIRBEAGAN

Chunnaic mi boinneagan uisge
A' sruthadh fon lic-eighre
Nan dairbeagan, leis a' bheinn,
'S iad a' sireadh an loìn fhèin
An àm fàis is leaghaidh
'S a' mhathair-uisge fhàgail às an dèidh.

TWIN TOWNS

We are paired
Like two towns
Which have been brought together
From different ends of Europe
In the interest of friendship
However tenuous the connection.

TADPOLES

I saw little drops of water
Flowing under a sheet of ice
Like tadpoles descending the mountain
Looking for their own pond
In a time of growth and melting
And leaving the source of the water behind them.

DEALBH

Thug mi sùil air dealbh
Dhen duin' agad 's thu fhèin
An là a phòs sibh
'S sibh le chèile ri gàireachdainn
'S a làmh aige mu do chom.

Thug mi sùil eile 'n uair sin
Anns an sgàthan agam
'S cha do rinn mi gàireachdainn ann
'S chuir mi romham nach leagainn
Lùdag mu do chùl
Air eagal
Is gun d'rachadh
An dealbh dhìot a sgàineadh
A bheir mi leam gu dìlinn.

DOL GU MUIR

Tha an eathar agam air chruaidh
A-muigh anns a' bhàgh.

Chan eil eagal orm no uamhann
Ron aigeann

Ach b' fheàrr leam gun d'rachadh agam
Air druim a' chuain a thoirt orm

'S gun a thriall an toiseach
Far an cugallaich' a' ghainmheach.

PICTURE

I looked at a picture
Of you and your husband
On your wedding day
With the two of you laughing
And his hand around your waist.

I looked again
This time into the mirror
And didn't laugh at all
And I decided not to lay a finger
About your head
In case
The picture of you would break
Which I carry with me always.

GOING TO SEA

My little boat is anchored
Out in the bay.

I have no fear
Of the ocean

But I wish
That I could set to sea

Without having to venture first
Where the sand is at its most precarious.

FACHACH

Thachair mi ort nad fhachach
Feasgar Didòmhnaich
Taobh ris an Linne Sgitheanaich

As dèidh dhut a bhith
Air do sguabadh air falbh
Leis a' ghaoith

Nuair nach d'rinn thu chùis
Air fuireach shuas mud nead

Ach gun d'rinn thu chùis air an t-solas
A bu shoilleire nochd nad rathad
Agus ged a tha thu air tighinn gu inbhe,
'S suarach
Do chomas itealaich
'S lùths do choise
Ach nach ann agadsa tha an snaodh!

Chùm mi blàths riut fad na h-oidhche
Mus cailleadh tu do chuid ola
Agus an làrna-mhàireach dè dhèanainn
Ach do shadail air ais gu cala
Ri àird' an làin?

SHEARWATER

I met you as a shearwater
On a Sunday afternoon
Beside the Cuilinn Sound

After you had been
Swept away
On the wind

After you had failed
To remain up in your nest

But you did manage to find the brightest
Light on your way
And although you are fully fledged
You can't fly for nuts
But boy can you swim!

I kept you warm all night long
In case you'd lose all your oil
And the following day what could I do
But to throw you back to sea
With the high tide?

GRAINEAG

Tha gràineag ri cnàimh
An rathad fodham na cairbh:
Saoil an ann a bha i feuchainn
Ri ruigsinn air a leannan
'S e air taobh thall a' bhealaich
Neo-air-thaing a' ghàbhaidh
A thigeadh na chois
No dìreach an tòir air fois?

FAILEADH

Bu neònach mar a thachair
T' fhàileadh orm a-raoir:

'S mi ri biadhadh nan cat agam
As dèidh dhomh tilleadh dham fhàrdaich gu h-anmoch

'S an impis dèanamh air mo leabaidh
Nam sheòmar gun sgioblachadh

Thàinig t' fhàileadh thugam
Cho cùbhraidh 's a bha e riamh.

HEDGEHOG

There is the carcase of a hedgehog
In the middle of the road below me:
I wonder if she had been trying
To reach her lover
Who was over the other side of the way
Mindless of the danger
Or else just trying to get some rest?

SCENT

A ferlie hou yir scent
cam ower me lest nicht.

Whan I wes feedin ma cat
comin hame late ti the cottage.

An wes thenkin on gaun ti ma bed
in ma room that wes aa throuither.

An yir scent cam to me
as sweet as ever it wes.

translated by William Neill

65

FALBHAIDH AN SAOGHAL

Thuirt an sagart ud gun robh e an dàn
'S gun tigeadh crìoch air ar gaol
An àm seirm Clag an Aingil.

Bhuail e beum a-nochd aig sia uairean
Is thàinig a' chruinne mar bha 'n dàn gu stad
Is chrom is shiubhail an gaol ud anns a' bhad.

Mairidh an ceòl a thug e leis
Air mo shiubhal gu là mo bhàis.

GARRAI SHEAMUIS

Sé seo an láthair a raibh ann
An áit súgartha a bhí againn
Sul má chaith tú fhéin i dtraipisí
Na háilleagáin ar fad a chomrádaí
Agus a chuir faoi ghlas i gciste iad nach n-osclófar go díle
Agus a thóig ina n-áit sraith de thithe
A bhí gan fuinneoga gan doirse
Agus iad crioslaithe le haon bhalla amháin
Sa láthair a mbíodh ann
An áit súgartha a bhí againn.

THE WORLD WILL DISAPPEAR

That priest said that it was inevitable
Our love would come to an end
When the angelus rang.

It rang tonight at six o'clock
And the universe as preordained come to a halt
And that love bowed and fled there and then.

The music it brought with it
Will remain about me forever.

JIMMY'S FIELD

This is the site where
Our playing field used to be
Before you swept away
All the toys, my friend,
And threw them into a kist that will never be opened
And built in their place a row of houses
Without windows or doors
Girded by one wall
In the site
Where our playing field used to be.

MULLACH BEINN SGRITHEALL

Thuirt cuideigin gun robh thu air fàs
Cho cruaidh fuar ri mullach Beinn Sgritheall
Mu mheadhan a' Ghearrain
Is 's e thuirt mi fhìn
Gur math a bha m' fhios
Is gun robh mi nam sgalaig de bhuachaille
Là dhen robh saoghal
Mu mhullach na h-aon bheinne.

NA FAOCHAGAN

Bidh mi dol seachad
Air an fheadhainn a bhios sna faochagan
'S iad air sleuchdadh air an glùinean
Ann an ìochdar na tràghad
Sìos dhan an tiùrr
Anns a' chladach agam fhìn
Sam bi mise cuideachd an tòir
Air gnè de ghrìogagan.

THE SUMMIT OF BEN SCREEL

Somebody remarked
That you had grown as cold and hard
As the summit of Ben Screel in the middle of February
And what I said was
That I knew fine
And that I had been an enslaved shepherd once
Round the summit of the same mountain.

THE WHELKS

I go past
The folk who are at the whelks
Prostrated on their knees
in the lower part of the shore
Down to the low-water mark
In my own shore
Where I too go looking
For a sort of gem.

OIDHCHE BHURNS

Chaidh mi a dh'Oidhche Bhurns a-nochd
'S nochd am bàrd fhèin ann (air muin eich)

As dèidh dha triall leis fhèin san anmoch,
'S cha deach a leigeil a-staigh

Agus gnè a choreigin eile de bhàrd
Shuas ann an shin a' cur dheth, ri òraid,

'S chaidh fhàgail air taobh nan tarragan dhen doras
Ri còmhradh beag ris fhèin san dorchadas.

BURNS NIGHT

I went to a Burns Supper tonight
And the bard himself turned up for it (on a horse)

After he had been travelling late
And he was refused entry

As some other type of bard
Was up there spouting away, speechifying

And he was left on the other side of the door
Muttering to himself in the dark.

ORAN AN FHIR-CHATHRACH

1. Fàilt' oirbh, fhearaibh – 's math a bhith air ais
   Aig coinneamh an F H O C H O M A T A I D H B H R I A T H R A C H A I S .

2(a). Tha dà leisgeul agam (na mo làimh chlì)
   Bhon Ollamh Jones is bhon Chomhairliche Mac a' Phì.

2(b). Cha tuirt an t-Ollamh còir dè bha e gu bhith ris
   Ach tha Mgr Mac-a'-phì aig Co-labhairt Inbhir Nis.

3(a). An cùm sinn oirnn ma-tà? Aidh. Cumaidh. Ceart. Aidh.
   Le geàrr-sheanchas coinneimh na seachdain sa chaidh.

3(b). Tha aon rud agam fhìn mu dheidhinn – faicibh Earrann a Trì:
   Cuiribh às dhan dàrna "eal" 's cuiribh na àite "tì".

3(c). Ceistean aig duine? Chan eil? Tha sinn a' losgadh oirnn a-nis!
   Gabhaidh sinn ris ma-tà (tha mi a' gabhail ris).

4(a). San aithisg seo (Sillars & Co) thathas a' gabhail beachd
   Air ionmhas na h-ath bhliadhna (anns an fharsaingeachd).

4(b). Thèid a sgrùdadh aig àm freagarrach (an ath bhliadhna, tha dùil)
   Leis a' bhuidheann-rannsachaidh anns an t-seòmar-chùil.

4(c). Tha i cudthromach is misneachail is thèid a cur gu feum
   As dèidh dhan bhuidheann-stiùiridh a deasbad, ceum air cheum.

5. A thaobh na th' ann fo GISBE, tha an ùine caran gann
   Ach bheir sinn sùil air fhathast (nuair a bhios an t-Ollamh ann).

6. Bidh an ath choinneamh an seo Dimàirt aig leth-uair às dèidh ochd
   Achgreasaibhoirbhanainmanàighthaiadadùnadhtràthanochd!

THE CHAIRMAN'S SONG

1. Welcome, gentlemen – it's good to be back
   At a meeting of the VERBOSITY SUBCOMMITTEE.

2(a). I have two apologies (in my left hand)
   From Doctor Jones and Councillor MacPhee.

2(b). The good doctor hasn't said what he was at
   But Mr MacPhee is at the Inverness Conference.

3(a). Shall we continue then ? Aye, let's. Right. Aye.
   With the minutes of last week's meeting.

3(b). I have one point to make – cf Paragraph 3:
   Delete the second l and replace with a t.

3(c). Questions, anybody ? No ? We're making excellent progress now !
   Accepted then I take it ?

4(a). In this report (Sillars & Co)
   Finances for the forthcoming year are considered in broad terms.

4(b). It shall be scrutinised at an appropriate juncture (next year, it is anticipated)
   By the research group in the back room.

4(c). It is important and encouraging and shall be utilised
   After the steering group have debated it, step by step.

5. As regards AOCB time is running somewhat short
   But we shall consider it some other time (when Doc is with us).

6. The next meeting is here on Tuesday night at half eight
   But hurry up for Christ's sake, they're closing early tonight !

PUTA

Dh'fheuch mi, uair is uair,
Ri do leigeil air falbh
Le bhith gad chur an cliabh
A thilginn far bòrd dhan a' mhuir
Am measg nan cliabh eile
A phutainn, beagan is beagan,
Air falbh an sreath a chèile
As dèidh dhaibh bhith 'n aimhreit
('S mi mothachail air a' chunnart
A thig an lùib nan ròpaichean)
Ach nuair a thillinn gus an togail (sa mhadainn òig)
Bhiodh tu muigh romham nad phuta,
Mar a bha thu riamh, air bhog
Shuas air clàr na mara.

BUOY

I have tried so many times
To let you go
By placing you in a creel
Which I would then shoot overboard to sea
Amongst the other creels
Which I would put, bit by bit,
Overboard in sequence
After they had been all tangled up
(And conscious of the danger
Inherent in the ropes)
But when I'd return to lift them in the morning
There you'd be like a buoy
As you always were, floating
On the surface of the sea.

SMEURAN

Chaidh stad a chur orm
'S mi air mo chuairt mun a' chreig luim
Shìos ris an oir,
Am measg an sgudail a thàinig air tìr;
Na botalan briste
'S na drumaichean-ola
'S na bogsaichean-èisg
'S na lìontan sracte
'S an fheamainn bhreun –
Dè chithinn romham ach smeuran
Mar chlann
Air an làithean-saora
Fad mu chola-deug
An cois na mara.

MADAINN, OBAR-DHEATHAIN

Tha fàileadh na fuineadaireachd
Ri cuinnlean mo shròine
'S mi siubhal Sràid an Aonaidh

'S e cheart cho cùbhraidh
Ris a' chreamh ri taobh an rathaid
A tha sìneadh gu Rubha Shlèite.

BRAMBLES

I got a start
As I was walking on the bare rock
Down by the shore
Amongst all the rubbish which had been washed up
The broken bottles
And the oil drums
And the fish boxes
And the torn nets
And the foul seaweed
What should I see but some brambles
Like little children
On their holidays
For about a fortnight
By the seaside.

MORNING, ABERDEEN

The smell of baking
Is in my nostrils
As I head down Union Street

Every bit as fragrant
As the garlic by the side of the road
Leading to the Point of Sleat.

DA EUN

1.

Tha mi staigh ann am flat leam fhìn
Ann am baile mòr Obar-Dheathain
'S mi sìnte air beulaibh an telebhisein
Agus dà eun,
Dà bhuidheig a-staigh nan cliabhan,
Nam chuideachd anns an oisean
'S iad a' rànail nuair a leigear a-mach iad
'S a' rànail cuideachd
Nuair a thèid an glasadh na bhroinn

Agus mo smuain air an dithis againn fhìn.

2.

Tha an dà eun
Ag itealaich dìreach mun t-seòmar
(A rèir coltais, gun sgur)
'S gun a bhith a' dol far nan crìochan.

Dè 'n fhaid
Mus fhàs iad eòlach air an t-slighe
'S gum bi iad air gluasad
As an àrainn sa bheil iad cuibhrichte

Gun fhiosda dhaibh fhèin
'S nach fhaic mi a-rithist iad rim mhaireann?
'S a-rithist thig mo smuain
Air an dithis againn fhìn.

TWO BIRDS

1.

I'm in a flat of my own
In the city of Aberdeen,
Stretched out in front of the television
And there are two birds,
Two goldfinches in their cage,
And they start howling when they're let out
And they start howling when they're locked in

And I think of the two of us.

2.

The two birds
Fly about within the room
(Apparently all the time)
Without going beyond its boundaries.

How long
Before they get to know the way
And how long before they've moved
From the area to which they're confined?

Unbeknown to themselves
And for me never see them again?
And again my thoughts
Turn to the two of us.